KB103143

그림자의 색깔

유재신

그림자의 색깔

발　행 | 2024년 3월 18일
저　자 | 유재신
펴낸이 | 한건희
펴낸곳 | 주식회사 부크크
출판사등록 | 2014.07.15.(제2014-16호)
주　소 | 서울특별시 금천구 가산디지털1로 119 SK트윈타워 A동 305호
전　화 | 1670-8316
이메일 | info@bookk.co.kr

ISBN | 979-11-410-7683-2

www.bookk.co.kr

intro

내 호흡을 위협할 걸 알면서도 나는 우울을 들이마셨다. 그것은 너무도 짙어 폐 전체가 뿌예질 정도였다. 이 생은 잠식되어 갔다. 그걸 깨달았을 때 괜찮다고 하지만 전혀 괜찮지 않은 내가 남아있었다.

내 모든 자괴를 짓이겨 쓴 글들은 모든 색의 집합과 같은 까만색을 띠고 있었다. 하지만 그 아래 드리운 혼란한 수많은 색, 그것들도 곧 나였던 것이었다.

많이도 앓았다. 그렇게 알았다, 나를.

contents

part 1

part 2

part 3

part 1

숨

내가 내쉬는 모든 숨이 아프게 느껴질 때가 있어.

내가 지금 여기 살아있다는 걸 자각한다는 이유만으로 나는 갈기갈기 찢겨 가.

덜그럭, 뺑

가슴 속에 사소한 것들이 너무 많아 숨을 못 쉬겠다. 숨을 쉬려고 하면 그것들이 못 견디게 의미 없고 가벼워서 그런지 막 덜그럭거린다, 참 거슬리게도.

그 덜그럭 소리에 긁혀 나는 생채기가 나고 닳다가 뺑 터져버리고 말 거다. 차라리 뺑 터져버려서 자취도 없이 소리 소문도 없이 사라지고 싶다.

시도 때도 없이 그런 마음에 긁혀댈 때마다 난 날 완전히 잃고 싶다. 놓아버리고 싶다. 근데 그럴 수 없을 거다. 터져버릴 때조차 나는 요란한 자취를 남길 게 뻔하니까, 참 한심하게도.

그러면 통곡을 하겠지. 내뱉는 나 말고는 아무도 못 들을, 메아리도 안 치는 거짓 통곡을. 그걸 핑계 삼아 나는 또 살아서 멈춰 있겠지.

아주 사소하게, 터지지도 못하고.

농담

포장하고 가면을 쓰는 것도 어느 정도 알맹이가 있어야 의미가 있지. 나는 내 옷자락이 자유자재로 녹아내리면 내 얄팍한 심지를 들킬까, 아니 그런 심지마저 없을까 두렵다. 언제 무의 상태로 돌아가도 전혀 이상하지 않을, 이름도 못 붙일 '뭔가'가 되어버릴까 봐 홀가분하기도 하고 무섭기도 하다.

아아 오늘 밤에도 별이 바람에 스치우기만 할 거다. 물 먹은 별이 반짝, 하다가 저 칠흑 속에 희석되어 버릴 거다. 아아 괴로워. 어느 누가 가슴에 블랙홀 하나쯤 키우지 않고 살 수 있겠는가. 그걸 알아도 괴롭다.

나는 있으면서 없다. 붓이 머금는 먹의 양을 조절해 종이 위에 획을 긋는다. 그래서 나타나는 게 뭔지 아는가. 농담이다, 농담. 어휴. 진하고 연하고 구분 안 되는 놈. 뭘 해도 그게 그거 같은 놈. 그게 나다.

블랙홀에도 농담이 있을까. 더 진한 부분에서는 더 처절하게 찢어지려나. 그렇다면 나는 제일 진한 부분에 나를 넣어보겠네. 그러고 조각이 남기는 하는지, 재도 없이 사라지는지 어디 한번 봐봐야겠네.

밤은 오늘도 애매한 농도로 짙어간다.

간판숲

마음이 헛헛해질 때가 있다
그럴 때 가끔은 번쩍거리는 간판숲 속을 걷는다
아무 생각 없이 어떤 목적지도 없이 그냥 걷는다
그러다 눈을 돌려 무심코 주변을 돌아본다
사람들 얼굴에는 웃음꽃이 하나씩 피어 있다
혼자 청승맞게 간판숲 속을 걸어서 뭐 해-
불 꺼진 집에 들어와 파리해진 내 얼굴을 본다
내 얼굴의 그림자에는 웃음꽃이 필 수 없다
일부러 번쩍거리는 간판숲 속을 걸어도 보는데
내 그림자는 밝아져 없어지기는커녕
그 번쩍거림에 할퀴어져 힘없이 흩어질 뿐이다
맥락 없는 헛헛함을 맛보는 순간이었다
이렇게 마음이 헛헛해질 때가 있다
그리고 그걸 어떻게든 이겨내지 못할 때가 있다

완전한 끝에 대하여

왜 우리는 살면서 그 많은 것들을 해결하려고 무던히도 애를 써야만 하는 거요. 하루하루가 심판대에 올라가 있는 것처럼 느껴진다. 살아가는 것 자체가 이렇게도 가혹하다.

다들 그러겠지. 모든 사람이 저마다의 깨진 거울을 가슴에 품고, 그 깨진 조각으로 자기 얼굴을 들여다보며, 이상하고 가엾어 보이는 자기 모습에 눈물을 흘릴 테지. 그렇게 앓고 잃어버리고, 앓고 잃어버리고. 그걸 반복하겠지.

그러다 보면 세월은 가 있고, 차오른 눈물에 스스로 잠기면, 모든 게 끝나버리는 걸까. 그러면 끝내 어떤 기분이 들까.

글

그 끝없이 많은 행간의 아픔들은
내 눈물 한숨 회의의 결말이었다

사유

요즘 사유하는 게 너무 어려워.

어떤 사유냐고? 가지는 것 생각하는 것 둘 다! 무엇도 안 된다.

그래서인지 내 인연들과의 지나간 대화며 사건만 자꾸 다시 곱씹고 있게 된다. 모두 과거의 일들이지, 뭐. 누군가의 향기라든가 누군가의 무표정이라든가 누군가의 목소리와 말투 누군가의 잘 빠진 어깨선 누군가의 술버릇 또 누군가의 인생철학이라든가.

어이 자네! 과거는 과거로만 두라던 김의 말을 잊었는가. 내가 행복하기만 하면 된다던 백의 말을 잊었는가. 너는 충분히 대단한 사람이라던 허의 말을 잊었는가. 나의 가식 없는 자신감 허세 인정해 주던 오의 말을 잊었는가. 서서히 밟아가 꿈을 이뤄보라던 또 다른 김의 말을 잊었는가.

아니 벌써 다 잊어버렸단 말인가! 어제가 아닌 오늘을 살아야 사유할 수 있지 않을까, 뭐든 말이다.

아이고 우리 유가 집을 샀다니.

아! 할머니. 사실 저는 깊이 사유하여 집을 사유하지는 못했습니다. 부끄러워요. 그저 다들 그렇게 시작하기 때문에 시작한 걸까요.

대출인생, 담보인생, 저당인생.

그러지 않은 삶은 없단다. 한 사람은 존재하기 시작하는 순간부터, 동시에 자신과 인과된 모든 것에 빚을 지기 시작한단다. 그걸 갚아 나가고 베풀어 나가는 게 삶이야. 그게 사는 거야. 그런 사유로 우린 살아간단다.

외할머니 가라사대, 아 물론 내 상상 속에서다.

그런 것 같다. 알면서도 인정할수록 짐이 된다, 삶은.

자란 밤

새로운 내일을 기대하며 잠들던 그 어린 밤들이
이젠 내일이 무서워 잠 못 드는 밤들로 변했다

가시나무

나 혼자, 누가 시키지도 않았는데 내 속의 가시나무 숲을 거닐겠다고 나섰다. 가시나무 숲은 끝도 없이 펼쳐져 있고, 갈수록 더 뾰족하고 촘촘한 가시들이 나를 사정없이 할퀴고 찌르고 벤다.

피를 철철 흘린다. 온몸에서 그리고 두 눈에서. 그리고 심장에서. 축축한 심장 부근을 움켜쥐고 빠져나가려고 한다. 가시나무 숲은 끝도 없이 펼쳐져 있다.

결국은 알게 된다. 내 속에서 돋아난 가시들이 걷잡을 수 없이 많아지고. 가시나무 숲을 이루고. 나를 감싸고, 가두고, 옥죄고, 죽이고, 그렇다는 것을.

까만 피로 완전히 물들고 쓰러져 몸을 덜덜 떨 때가 되어서야 다시 일어나고 싶어지면, 이미 나는 죽어있는 사람일까.

내 속엔 내가 너무도 많아. 나의 쉴 곳 없네. 내 속엔 헛된 바램들로. 나의 편할 곳 없네. 내 속엔 내가 어쩔 수 없는 어둠. 나의 쉴 자리를 뺏고. 내 속엔 내가 이길 수 없는 슬픔. 무성한 가시나무 숲 같네.

눈 눈

어쩔 땐 차라리 답이 있었으면 해
답지를 보고 점수를 매기고
무수히 많은 빨간 비가 내리면
생채기가 나더라도 아 이게 틀렸구나
한번 어떻게 고쳐볼까 하고 생각은
하게 되지 않을까 싶어서
아 누군가는 마음 가는 대로 해보라고 하겠지
그럼 작대기가 동그라미가 될 수도 있다고
근데 이젠 내 마음도 모르겠어
마음이라는 게 있기는 할까
내게도 아직 마음이라는 게 있을까
어떤 게 진짜 내 마음인지는 나도 몰라
나 자신도 모르는데 나 자신도 나를
사랑하지 못하는데 어느 누가 날 위하고
날 생각해 주겠어 그럴 수 있겠어
누군가에게 안기던 무수한 순간들
따뜻한 손길들 따뜻한 말들

떠올릴수록 더 허해지는 내 포장지엔
아무것도 적혀있지 못할까
천구백몇십몇년부터 이천몇십몇년까지
그 정도는 적힐 수 있으려나
적히면 그것은 일련의 숫자일 뿐일까
그 정도도 적히지 못하면 나는
이 세상에서 숨은 쉬었던 무엇이었다 하고
누군가는 기억할까 어떻게 기억할까
아 됐고 별건 없고 요즘은 말이야
갈래갈래 찢어져 내리는 저것들을 안고
어떻게든 이어 붙여놓고도
난 아직 아프다고 아플 수밖에 없다고
엉엉 울어보고 싶어 그러면 좋겠어
그렇게 억지로 붙여 놓은 것들은
결국은 어떻게든 또다시 녹아 먹먹해지고
그 연결고리를 잊어버려 그리고
시퍼런 뜬눈으로 뜬 눈 갈래 갈래 갈래를
두 번 찢어놓는 짓거리보다는
그편이 더 비극적이고
그래서 누군가는 오히려 더 아름답다며
향유하고 그러기도 하잖아

하지만 그렇다고
아름답기 위해 아프다는 말은
하지 마 조금 억울해져
아픈 것이 아름다울 순 있지만
아름다운 게 아파야 할 필요는 있니
그럴 바엔 아니다
그냥 아프지 않을래 아름답지 않을래
꽃 피우지 않을래 그냥 녹아내릴래
아무것으로도 남지 않을래
그래서 말인데 넌 무엇을 위해
떨어지고 휘날리고 고착화되고 변해가고
그러고 있니?
꼭 이유가 있어야 할까 묻고 싶다

낙서

신이시여. 흔들리지 않고 흩어지지 않고서 자랄 수 있는 존재는 없는 겁니까. 정녕 그런 겁니까. 왜 그래야만 하는지 이유라도 알려주시면 안 되겠습니까.

누가 보면 코웃음칠 나이에 난 왜 벌써 모든 걸 놓아버리고 싶어 하며 왜 이리도 위태롭게 걷고 있는 걸까요. 꼭 그래야만 이십 대인 겁니까. 그렇게 걷고 있는 게 진짜 내가 맞기는 한 겁니까. 진짜 내가 존재하는 게 맞기는 한 겁니까. 이렇게도 휘청거리는데요.

많이 아프고 힘듭니다. 그 이유라도 알려주신다면 덜 갈팡질팡할 수도 있을 텐데 왜 입을 열지 않아 주시는 겁니까. 평소엔 당신을 믿지 않다가 이럴 때만 찾아오는 내가 괘씸해서 그런 것이지요. 그래서 그렇다며, 차라리 퉁명스러운 대꾸라도 해주시면 좋겠습니다.

아 미안합니다. 돼먹지도 못한 존재가 괜한 땡깡을 부리고 있었네요. 고작 부스러기 같은 이 존재는 또 내일이 오는 게 두렵지만 힘들게나마 잠을 청해볼까 합니다. 차마 피할 수는 없기 때문입니다.

빛바랜

눈을 뜬 채로 새벽이 가고 아침이 내리는 시간이 오면 기분이 정말 이상해져. 이 세상은 다 잠들어 있는데 나만 잠 못 이루고 깨어있는 듯한 착각을 하게 만들잖아. 아침이 내리는 광경은 정말 예뻐. 물기를 머금은 푸른 기가 참 말갛거든. 그래서 도리어 슬퍼져.

왜 잠 못 들고 있었지. 무엇이 날 붙잡은 거지. 혼자 혼란스러워하다가 공허해지기까지 해. 그래, 다 비우자. 소리 없이, 하지만 강하게 내린 저 아침처럼. 리셋되어 가자. 근데 그래야 할수록 난 더 구질구질해져 가.

지나간 철없는 나, 지나간 어린 날들, 지나간 웃음, 지나간 깊이. 그렇게 더 심연으로 가라앉고. 새롭게 열릴 하루는 미뤄져 가고. 그리고 이런 미뤄짐들은 항상 그래왔듯 뭣도 되지 못하고 바스러져 가.

그렇게 아무렇게나 인쇄된 페이지들처럼 오래 아프게도 남겠지. 훗날 거기에 손가락이 베여 인상을 쓰는 것도 결국은 내 몫이고. 그래, 내 탓이오, 내 탓이오.

아 또 얼마나 구질구질할까. 얼마나 더.

가장 예쁜 시간에 가장 초라한 모습으로 과거를 씹는다. 뱉지도 못하고, 삼키지도 못하고.

꽃

흔들리지 않고 피는 꽃이 어디 있으랴마는
나는 흔들리지 않고 피어나고 싶다 아니다 나는
꽃을 피우지 않아도 되니 흔들리지 않고 싶다
어떻게 피어난 꽃이든 어떻게 유지된 꽃이든
어차피 주어진 시간이 지나면 시들게 되어 있다

자취

알코올 솜으로 피어싱을 소독한다
내 손에서 술 냄새나
술 냄새 나는 손이 한껏 휘청거리며
취한 글을 싸지른다
난 항상 뭔가에 취해있고 싶어
요망하게 비틀거리는 글을 쓰고 싶어
반듯한 나를 놔버릴 수 없는 세상에서
그 정도는 하고 싶어
그럴 수 있는 거잖아
그래도 된다고 해줘 응 제발
알싸한 손끝으로 밀어 넣는 피어싱
빨갛게 물드는 귀 끝
아주 흐릿하게 느껴지는 통증
참 보기 좋은 광경이었다
이거 완전 또라이 아니냐
아니 미친놈으로 순화하여 쓰래 웃겨
그게 뭐가 중요하니
취한 글은 멈추지 않는다 죽지 않는다
나름의 묘미가 있거든

나같이 노잼인 사람은
차라리 술에 찌드는 게 나아
안 써지는 글을 밟던 손끝으로
피어싱을 만지작거린다
곧 팅팅 부을 게 뻔해
밋밋한 귀보다 그런 귀가
짓궂은 동정심을 자아내잖아
나는 동정받고 싶어
나는 불쌍하면 안 되는 사람인데 참
불쌍해 죽겠으니까 그래
발칙한 자식 같으니
날 딱하게는 여기지 마
근데 그게 그거 아니냐
알코올을 맡고도 맑은 망할 머리로
이젠 트위스트를 추는 손가락으로
뭣도 아닌 글을 싸지른다
글자라고 하는 것을 막 토해낼 뿐이다
시원하다
부끄럽나
모순의 간극에서 오는 카타르시스
그래서 사람들은 미치고 싶은 거지

잃다

안 그래도 없는 걸 또 잃어버리면 사람은 그렇게 비참해진다. 그리고 잃어버림으로써 그것의 존재를 확실히 알게 되는 순간 그 비참함은 이제 사람을 곤두박질치게 만든다. 끝도 안 보이는 깊고 새까만 나락으로. 그제야 가슴을 쥐어뜯고 통곡하지만 달라지는 건 없다. 그저 계속 또 다른 뭔가를 잃어갈 뿐.

우는 것

참는 게 너무 익숙해져서 못 울어요. 울고 싶을 때마다 참았더니 어떻게 우는지도 까먹은 느낌이에요. 마음속은 꽉 막혀 있는데 그걸 어떻게 뚫지도 못하고. 언니 말대로 저 많이 힘든데 계속 부정해 온 거 같아요.

이젠 우는 것도 큰 결심을 해야 할 수 있는 건가 봐요. 펑펑 울고 싶었는데 실패했어요. 아 정확히는, 눈물을 흘리는 건 성공했는데 내가 왜 그러는지 알 수 없어서 더 울지 못했어요.

예전엔 내가 뭘 하면서 행복했는지 기억이 안 나네요. 이게 제일 무섭고 슬퍼요. 앞으로 나는 어떻게 해야 할까요. 이런 답답함을 풀 수 없으니 점점 나 자신을 안 좋은 쪽으로 혹사하나 봐요.

나 위태로운 거 맞아요.

종말

마주잡아오는 네 손을 뿌리치지 않았다.
생명줄이라도 되는 양, 네 손을 그리도 꽈악 잡았다.
그게 종말의 시작이었다.

15분

시험 시작 15분 만에 퇴실했다. 시험 하나 보러 1시간 거리를 달려왔는데 그건 상관이 없어졌다. 안 그러면 거기서 죽을 것 같았다. 갑자기 앞이 안 보이면서 손이 심하게 떨리고 가슴을 옥죄는 통증이 느껴져 숨쉬기 힘들었다. 감독관분들에게 중도 퇴실하겠다고 하고 시험장에서 겨우 나와 화장실에 앉아 있었다. 평소에도 이런 증상이 약하게나마 있어서 약을 먹고는 있으나 이렇게 심하게 찾아온 건 오랜만이다.

회상

집에서는 쉬고 있는 나를 보고 백수 다 됐다고 그런다. 그래, 나 백수다. 올해 대학 졸업했고 이번 시험은 시원하게 말아먹었다. 그런데 내 얼굴 보자마자 하고 싶은 말이 그걸까. 시험 본 지 이제 3일 지났다. 내가 답이 없어 보일 수는 있다. 근데 나는 너무 지쳐서 쉬고 싶었을 뿐이다.

우울증 온 거 같다 했을 땐, 뭔 헛소리냐는 말을 들었다. 몸도 망가진 것 같았는데 검사해도 아무런 결과가 나오지 않았을 땐, 재는 맨날 꾀병이라는 말을 들었다. 무엇에도 집중할 수 없어 공부도 못할 땐, 저거 또 공부하기 싫어 병 걸렸다는 말을 들었다.

인생이 쉽게만 흘러가지는 않는다면서요. 시행착오도 있고 힘든 순간도 있는 거라며. 나한테 그랬잖아요. 점수도 일부러 말 안 했다. 실망할 거 같아서. 나는 항상 점수를 잘 내오던 사람이었으니까.

그래, 나만 썩어들어가면 그만이잖아. 자신이 없다. 그나마 할 줄 알던 게 공부였는데 이제는 좋은 점수를 내지 못할 것 같아 자신이 없다.

회상 2

빌어먹을 인생의 끝은 언제일까. 더 살아내고 싶지 않을 때가 있다. 다시 나쁜 생각들이 스멀스멀 고개를 든다. 참 끈질기기도 하다. 감사하게도 괜찮은 환경 속에서 살고 있는데, 항상 날이 서 있고 어두침침한 나는 거기에 어우러질 수 없는 불청객 같다. 모두가 내 뒤에서 날 묵묵히 응원하는데 아무것도 해내지 못할 것만 같다. 마음을 굳게 먹으면, 한 발짝만 더 나가면 뭐라도 될 것만 같은데 힘이 안 들어간다. 이미 바닥이었던 자기 효능감은 이제 지하로 파고 들어간다.

모두에게 미안하다. 떨쳐내 보려고 애를 쓰는데 무슨 말도 좋게 들리지 않고 뭘 해도 즐겁지 않다. 원래도 없었던 삶의 이유를 연달아 계속 잃어버린 기분이다. 안 그래도 없는 걸 잃어버리면 사람은 그렇게 비참해진다. 그렇게 공허하다. 난 감사할 줄 모르고 괴로워만 하다가 또 똑같은 결말을 보고 후회하고 우울해할 거다. 다 토해내면 좀 괜찮을까. 그런 식으로 나를 잃을 수 있다면. 나를 제일 힘들게 하는 건 어김없이 항상, 나다. 내일은 내가 괜찮으면 좋겠다가도 내일이 없어지면 좋겠다는 생각을 한다.

과연

가장 가까운 사람들인 그들이 내 행복을 조건 없이 응원해 준 적이 있긴 한가. 나를 위해 그러는 거라고 하지만 그들은 나를 통해 자신들의 행복을 채우려고 하지는 않았는가.

퉤

뭣 같은 순간들을 감정들을
실컷 질겅질겅 씹어대다가
퉤- 하고 뱉어버리고 싶다
그렇게 완전히 잃고 싶다
풍선껌을 씹고 뱉는 것처럼

놓지 못하는

어느 정도 취해도 나를 놓지 못하는 나 덕분에, 제대로 취해본 적이 없다. 나는 날 놓는 게 무섭다. 그러는 순간 진짜 내가 나타나 지금의 나를 갈가리 찢어버릴 것 같거든. 무슨 짓을 할지 모르겠다. 그래서 놓지 못했다. 살짝 놓아도 끄트머리는 꼭 붙잡고 있었다. 그래서 뭣에도 취해본 적이 없다.

굳이 취하려 하지 않아도 잘 살아가던 때가 있었다. 그땐 뭘 보며 달렸을까. 살았을까. 꿈 많고 욕심 많던 나는, 그때 뭘 짊어지고 뭘 밟으며 그렇게 열심히 달려갔던 걸까. 살아갔던 걸까. 기억해 내고 싶다. 나는 내가 진짜로 행복하다고 생각해 본 적이 없는 것 같다. 나중에야 돌아보면 그게 행복이었던 순간들도 있기는 한데. 그래서 과거에 갇혀 살고 싶어 하나. 깜깜한 미래를 부숴나갈 용기는 없어서.

그래도 나 되게 열심히 살아왔다. 근데 뭘 위해 그렇게 열심히 살아왔는지 기억이 안 난다. 기억은 지워져 간다. 머릿속에 새로운 것들이 들어올수록 생각하는 것들이 깊어질수록, 예전 기억들은 지워지는 게 어쩌면 당연한 건데. 그걸 용납하고 싶지 않은가 보다.

용납하면, 진짜로 괜찮았던 나를 잃어버릴 것 같아서. 완전히 잃어버릴 것만 같아서. 거봐, 나 놓지 못하는 사람이라니까. 지금은 무엇을 쥐고 있는지도 모르겠다. 차라리 되는 대로, 이끌리는 대로 살고 싶다. 다 놓고 살고 싶다. 뭘 위해 난 있을까. 있다면 정말로 뭘까. 없다면 나는 화가 날까, 눈물이 날까.

언젠가부터 다 부질없게 느껴지고 나서부터는, 놓고 싶다는 욕망이 점점 더 커지는 듯하다. 무서워서 놓는 것도 못 하면서. 이런 생각들은 잊히다 반감기를 거치면 또 스멀스멀 피어오른다.

뭐 하나 꽂히면 파고드는 성향은 세상 사는 데 의외로 적절하지 않다. 나만 피곤해지거든. 하지만 그걸 알면서도 나는 애먼 것에 이런 골 빠개는 짓을 한다. 항상 그랬지. 절대적으로 애먼 것은 없지. 근데 때에 따라서 이것이 중요한 게, 저것이 애먼 게 될 수도 있다는 거지. 알면서도 이런다.

나중에 보면 내 흑역사의 일부가 되어 있겠지. 남들이 그거 갖고 뭐라 떠들든 알 바 아닌데. 혼자서 이불로 아주 축구를 하겠지. 이러고 십 년, 이십 년, 삼십 년. 어쨌든. 오늘도 자려고 노력해야 한다. 이젠 잠을 자기 위해서도 노력해야 한다. 그래도 내일을 위해서. 까만 미래를 위해서. 까만 과거를 위해서.

색

난 나를 먹칠해
그 색은 까만색

쓰는 일

무난한 까만 펜 한 자루를 쥔다
줄 그어진 평범한 노트는
소리 없는 비명을 지르면서도
펜의 독백을 묵묵히 온몸에 새겨 감싸안는다
쓴다는 행위에 대해서는
누구로부터 자세히 배운 적도 없었고
혼자 몇 날 며칠을 고찰해 본 적도 없었다
노트가 펜을 통해 외로운 누군가의
새까맣게 타들어 가는 독백을
오롯이 머금게 되는 것 그럴 수밖에 없는 것
그게 펜과 노트의 당연한 숙명이고
그게 곧 쓰는 일이라고
자연스럽게 알게 되었을 뿐이었다

문장

참 동떨어진 곳에서
익숙한 문장들이
움터온다
뭣도 되지 못해서
한없이 아픈 것들이

이끌다

선한 변화를 이끄는 작품들을 보고 나면 엄청난 자괴감에 빠진다. 그러다 의문을 가진다. 내 글은 누구를 위한 건가. 나는 내 글을 통해 무얼 말하고 싶은 건가. 무얼 위해 글을 쓰는가. 무얼 이끌고 싶은 건가. 나의 이런 글은 어떤 영향력이 있는가.

온갖 우울과 불안으로, 그것도 아주 얄팍하고 조잡한 싸구려 비관으로 점철된 내 글은, 선한 변화는커녕 엄청난 무력감을 선사할 거다. 한 치도 도움이 되지 않는 어둠을 아무렇게나 흩뿌리고 있는 격이다. 운 없게 그 어둠을 뒤집어쓴 누군가는 거기에 마음이 멀어 한없이 나락으로 빠져들 거다. 막무가내로 자신을 이끌고 저 밑바닥으로 뛰어내리는 이런 글 때문에.

이건 정말 악한 변화다. 나는 내가 후련해지려고 일련의 문자 다발을 내던지지만, 그게 의도치 않게 누군가의 악한 변화를 이끌 수도 있는 거다. 이게 과연 옳은 행동이라고 할 수 있을까.

글 쓰는 사람으로서의 나는 어떤 사람이어야 하는가. 이런 식으로 나는 계속 나의 밑바닥을 남에게 옮겨도 되는 건가.

창작

불현듯 시가 쓰고 싶었다. 사는 게 메말라갈수록 자양분이 될 수 있는 뭔가를 찾아내려 애썼는데 이번엔 시였나 보다. 근데 도저히 써지지를 않는다. 아니 사실 계속 낭떠러지 끝에 서 있는 기분이라 아무것도 되지를 않는다.

나의 이십 대는 왜 어려워야만 하는가. 나는 왜 막 생겨 먹은 시조차 감히 쓰지 못하는가.

어두워지지

찌든 담배 냄새 빼는 것만큼 이미 진행된 우울을 아무렇지 않은 척 닦아내는 건 곤란한 일이겠지.

방금까지 웃다가도 세상에서 제일 혼란에 빠진 사람이 되어버린다. 굳이 따지고 보면 난 우울해서 이러는 게 아니다. 이 생의 답을 못 찾아, 그 길을 못 찾아 이렇게도 복잡한 거다.

사는 게 원래 다 그래, 이러면 나도 원래 이런 걸까. 그렇다면 왜 이래야 하는 걸까. 맨날 웃고 밝아 보이는 사람이 어찌 보면 가장 어두운 그림자도 가지고 있다.

다들 속에 생각이 많을 건데 나만 유독 이러지. 썩 밝아 보이지도 않는 나만 끝없이 더 어두워지지.

고장난 사람

약을 타러 갔다 왔다. 선생님은 내 증상을 들으시더니 서면 상으로 테스트를 해보자고 하셨다. 항목마다 점수를 매겨서 공황과 우울의 정도를 측정하는 아주 간단한 테스트였다. 치료를 받는 이래로 처음이었다.

선생님은 결과를 보시고 아직 정상적으로 근무하고 있냐고 물으셨다. 남들보다 수치가 이십 점 가량 높다며 이 정도로 심각한 줄은 몰랐다고 하셨다. 왜냐, 나는 겉으로는 멀쩡해 보이게 나 자신을 꾸며낼 수 있으니까. 가면을 너무 잘 쓰고 있는 셈이었다. 사회생활을 하려면 어쩔 수 없었는데 그게 나한테 좋지는 않았던 거다.

왜 나아지지 않을까, 하고 엄마는 내게 물었지만 이유는 나도 모른다. 엄마. 내가 보기에 어차피 이 세상 사람들은 세 부류로 나뉘어. 자신의 우울을 이기지 못하는 사람, 알고 이기려고 애쓰는 사람, 굳이 이기지 않아도 될 정도로 우울이 중요하지 않은 사람. 난 그래도 잡아먹히지 않으려고 하고 있잖아. 난 마음에 감기가 걸린 거지. 만성 감기.

그뿐이야. 이제 난 나쁜 생각은 안 하니까 걱정하지 마. 남에게 말할 수 있고 병원에 갈 수 있는 정도면 괜찮다고 생각해.

이 근본 모를 기분 나쁜 감기는 이미 몇 년째 나와 함께하고 있다. 힘들긴 해도 내 인생이 그러려니 하고 받아들였다. 그러니 내 주변 사람들이 너무 걱정 안 했으면 좋겠다.

엄마

부모는 원해서 자식을 낳고 자식은 눈에 넣어도 안 아플 무엇이라, 부모는 이것저것 다 베풀면서도 부족하다고 생각한다. 그래서인지 자식은 태어날 때부터 빚을 질 수밖에 없다.

나는 나 자체로 빚이었다. 갚아야 하는데 살아갈수록 빚이 늘어나는 기분. 원망스럽냐고? 아니. 나는 내가 받은 만큼 갚지 못할 거 같아서 슬프고 싫었다.

엄마. 나는 돈 없다 소리를 하는 엄마가 미웠던 게 아니야. 정말로 집에 돈이 한 푼도 없다고 생각한 것도 아니야. 그런 한탄을 듣고도 아무것도 못 하고 짐짝같이 사는 내가 미웠고, 항상 우리부터 챙기는 엄마가 미웠던 거지. 엄마도 이럴 줄 알고 엄마가 된 걸까.

대체 뭘 믿고 이래. 그렇게 새빠지게 벌어서 투자해놨는데 내가 죽도 밥도 아닌 사람 되면 어쩌려고. 내가 삶의 무게를 못 버티고 어느 날 갑자기 떠나기라도 하면 어쩌려고 이래. 나한테 왜 이래. 차라리 날 미워했다면 사랑하지 않았다면 더 좋았을 텐데.

벼랑 끝에 서 있다가도

엄마 카톡에 우리 보물들이래, 나랑 동생이.
벼랑 끝에서 겨우 자라난 나무를,
손마디가 하얘지도록 꽉 붙잡고 있는 기분이 되더라.
하루에도 몇 번씩 다짐하게 된다, 그래서.

part 2

닿다

조금 오랜만이어서 그런지 살갗에 닿는 날카로운 아픔이 생경하면서도 한편으로는 반가웠다. 생각해 보니 뭔가 하지 않으면 마음이 터져버릴 것 같을 때마다 난 그 아픔을 다시 찾아가 맞이하고 있었다. 양쪽 귀의 작은 쇠붙이들이 무슨 고뇌의 증표라도 되는 양 점점 늘어가는 그 꼴에 풋, 웃음이 났다.

소수

누구든지 0에서부터 시작하지
하지만 어떻게든 1이 되고 싶었어
그래서 군더더기를 덧붙여갔어
1에 점점 가까워지기는 하는데
그렇다고 1이 된 건 아니야
뭔가 더 덧붙여야 해, 뭔가 더
근데 계속 덧붙여도 1이 되진 않더라
0과 1 사이에 1은 되지 못하고
0으로 다시 돌아가지도 못하고
어쩔 수 없이 빙빙 맴돌기만 하고 있다
대체 언제까지 그래야만 하는 건가
1이 될 수 있기는 하는 건가
그래서일까 답답하고 울컥하고 그러더라

감사

할머니. 당신은 제가 뭐가 예쁘다고 또 용돈을 보내셨습니까. 제가 병원에 입원해 있다 나온 뒤에 당신은 몸이 불편해 못 가봐서 미안하다고 하셨죠. 여행 갔다 사 온 기념품을 쭈뼛거리며 드렸을 때, 당신은 할미 생각해서 사 왔냐며 고맙다고 하셨죠. 하지만 저는 당신께 따뜻한 말, 따뜻한 눈빛 한 번 제대로 건네지 못했습니다. 언니들처럼 밝고 싹싹하고 애교 많은 손주 노릇도 못 하는데 왜 저를 챙기시는 건가요. 당신은 왜 저의 작은 것에도 그렇게 크게 미안해하고 고마워하십니까. 그런 말은 말라니요. 저는 이 마음을 어떤 말로 표현해야 할지 몰라, 감사하다는 말을 아주 형식적으로 반복한 거예요. 열심히 공부해서 꼭 합격하라는 말씀이 아팠습니다. 그 소망을 지켜드리지 못할 거 같아 죄스러워서요. 공부는 손에 잡히지 않고 정신은 딴 데로 가 있고 다시 예민해지고 우울해진 요즘, 사실 저는 혼자서 나쁜 생각을 아주 많이 했습니다. 힘듭니다. 이렇게 저를 생각해 주는 분이 있다는 걸 자각할 때마다 힘듭니다. 그런데 또 감사해서 힘듭니다.

수동태

나는 끝내질 거야
나는 끝내 질 거야

이상할 게 없는 죽음

내 방에서 자려고 누우면 맞은편으로 베란다가 보였어. 그러다가 어느 날은 생각했어. 죽고 싶다. 저 난간을 밟고 다리에 힘을 풀고 몸을 앞으로 기울이면 죽는 건가. 죽어가는 건가. 그러겠지. 바람을 가르며 내가 떨어진다고 인식할 때쯤 이미 나는 심장이 멎을지도 몰라. 나는 저 보도블록에 떨어져 산산조각이 나겠지.

그나마 덜 어두웠던 스물하나 때였어. 그때부터였던 거지. 나는 그런 생각을 하는 내가 무서워서 울었어. 초여름인데도 베란다가 보이지 않게 커튼을 쳤지. 그렇게 베란다 쪽을 못 보며 자는 날들이 있었어. 내가 어느 순간 베란다로 나가고 난간에 발을 딛고 저 아래로 떨어질 준비를 할까 봐 무서웠던 날들이었지.

밥을 잘 못 먹는 날들도 있었어. 죽지 않기 위해 밥을 꾸역꾸역 처넣는데 역으로 의문이 생겼어.

내가 이렇게까지 하며 살 필요가 있나. 이렇게 계속 살아남는다고 정말로 살아있는 걸까. 내가 이렇게 맛있는 밥을 먹을 자격 있는 삶을 살고 있을까. 실은 밥만 축내는 버러지인데. 밥도 맛있게 먹을 줄 모르는데. 그 밥 한 그릇 제대로 못 먹는 사람도 있을 텐데.

안 그래도 막힌 목구멍은 눈물로 메었어. 밥을 씹어 삼키는 게 그리도 고통스러웠어.

우리 엄만 보건소에서 칭찬을 들었어. 엄마가 딸내미 예방주사 다 맞혀주셨네. 딸은 엄마한테 고마워해야겠다. 나는 고마움보다 죄책감이 먼저 들었어. 그 비싼 주사를 맞아도 될 정도로 내가 가치 있을까. 그 정도로 의미 있는 삶을 살까. 그럴 수 있을까. 막말로 주사를 맞은 날 내가 난간을 밟고 있을 수도 있잖아.

하지만 십몇만 원이 나온 걸 보고 일단은 그 생각을 접었어. 그런 생각을 하는 것도, 그런 생각을 애써 꾸깃꾸깃 접고 있는 것도 너무 싫어서 눈물이 나려고 했어. 근데 울 순 없어서 참고 생각했지.

당분간 십몇만 원어치는 되는 삶을 살아야겠다. 그런 척이라도 해보자. 속으로 백 번을 그렇게 생각했어. 마음은 더 무거워졌어.

툭 건들면 바로 툭 터질 날들이었어. 누가 나보고 괜찮냐, 아픈 데는 없냐, 밥은 먹었냐, 공부는 잘하고 있냐, 이런 식으로 살갑게 건네면 나는 무거운 응어리를 삼켰어. 진짜 별거 아닌 말들이라고, 때로는 귀찮은 말들이라고 생각했는데 아니었더라.

그까짓 것들이 날 흔들어 놓는 게 미웠어. 그리고 거기에 흔들리는 내가 미웠어. 누가 나한테 그렇게 관심을 보이는 게 너무 싫은데, 다른 나는 거기에 반응하는 게 미웠어. 괜찮다고 겨우 대답하는 목소리에 물기가 어린 게 수치스러울 정도였어. 그걸 못 들은 척해주는 상대에게도 미안했어. 내가 이런 걱정을 받아도 될 정도로 가치 있진 못하다고 생각해서.

당장 죽어도 이상할 게 없는 날들이었어. 나한테만 그러겠지. 남들한테는 내가 갑자기 떠난 게 되겠지. 그런 내가 정말 이상하겠지.

나는 정말로 죽고 싶은 걸까. 아니, 나는 죽고 싶은 게 아니야. 그 정도로 힘든 것도 아니야. 그 정도도 아닌데 죽고 싶다고 쉴 새 없이 되뇌는 나를 죽여버리고 싶은 거지. 그런 거였어. 이런 식으로 툭 흘리면 누군가는 그걸 주워주잖아, 또.

그런 날들이 있었어. 지금도 포함되냐고. 그럼. 과거형으로 말하지만 지금도 가끔 그래. 그때만큼 자주 그러지는 않고 아주 가끔. 이제 괜찮아졌다고 생각했는데 그건 좀 어리석은 짓이었어. 아직도 난 내가 무서워. 이런 나를 보며 혼자 눈물 흘리는 내가 불쌍해. 근데 난 또 불쌍할 것도 없는 사람이라 더 불쌍해.

하지만 이거에 대해 떠들면 끝도 없으니 이쯤에서 그만할게. 다만 완전히 안도하진 않으려고. 아직도 난 많이 아프구나, 그래도 나으려고 하고는 있구나, 이렇게 생각해 보려고 해. 그래야 덜 힘드니까.

밤이 많이 늦었다. 부디 꿈도 안 꾸고 자기를.

수면

취침 전 수면제 한 알 복용
온 방이 제대로 너울치고
눈앞은 울먹울먹해진다
움직임이 현저히 느려진다
내가 보고 있는 게
내가 치고 있는 게
맞나 싶을 정도로 전부 다
움직이고 있다 전부 다
몸에 와 닿는 이불의 무게가
폭신하게 내려앉고
스르륵 빨려 들어가는 기분
분명 혼자 눕기까지
수많은 사람과 얘기하다
온 것 같은 기분이 든다

불면

정말로 강렬한 이미지는
밤이 내리고 나서야
슬금슬금 고개를 들어
무겁게 날 내리누르는 잠도
밀어내고 속살거려
무서울 정도로 제멋대로
꼭 내 울타리를 침범하려는
무엇들처럼 말이야
그러면 어쩔 수 없이 나는
귀를 막던 손을 들어
그 속살거림들을
반주하게 돼
아주 서툰 감성으로
아주 비워둔 머리로
자 된 거 같은데
온갖 소리가 막 흩뿌려진
그 결과물이 뭐랄까
혼란스러웠어 정말

불확실한

삶을 살고 싶지 않아. 알아서 살아 나가야 하는 게 귀찮아. 어떻게 살아야 할지 스스로 설계해야 하는 게 귀찮아. 게임처럼 퀘스트를 깨는 식으로 인생 살면 얼마나 좋아. 뭘 얼마나 이뤘는지, 여기서 얼마나 더 해 나가야 하는지 볼 수 있으면. 여기서 좀만 더하면 끝이네, 하고 힘내서 해버리면 퀘스트 완료잖아.

근데 인생은 끝도 모르고, 내가 그동안 해온 것이 수치화돼서 보이는 것도 아니고, 내가 앞으로 뭘 해야 할지 정해져 있는 것도 아니고. 만드는 사람이 만드는 대로만 만들어져 있는 게임과는 참 다른 게 인생이네.

꺼내다

활활 타오르던 장작불에서 익어가던 감자를 꺼내는 기분으로, 반은 설렘 반은 당연함으로 둔갑한 내 마음을 꺼낸다. 이런 이것에 그들은 열광하고 안달 나고 시큰둥하고 흠집을 낸다. 감자는 으깨지면 매시트 포테이토가 되지만 나는 으깨지면 아무것도 아니게 된다. 그걸 알면서도 난 자꾸 날 꺼내 보이고 싶어 한다. 견디지 못할 거면서. 누구보다 제일 잘 알면서.

바다

내 안에 생긴 바다가 난 싫었다
너 지금 뭐 하고 있니 물으면
당신 안에서 실컷 요동치고 있습니다
이렇게 대답하더라고
그래 그럴 거면 제발 좀 사라져
다 퍼내서 소금사막으로 만들기 전에
호통을 치니 도리어 파도가 일었다
아 예 근데 그러고 나면요
내가 손해일까 당신이 손해일까
짠 눈물이 밍밍해질 때까지 흘리는 건
대체 누구 몫인지는 알기는 하는지
넘실거리면 메스껍다고 난리
텅 비어버리면 허무하다고 난리 칠 거잖아요
자기 안에 바다를 두지 않은 사람은
없을 겁니다 그게 어떤 형태로
남는지는 개개인 몫이구요

뜨끔해서 들여다보니 만신창이였다
깊은 바다 얕은 바다 구분도 안 되게
소용돌이만 치는 정신 나간 바다
가장 중요한 사실을 잊었다
썩은 바다엔 아무것도 살 수 없다
그래서 그리도 심하게
넘실거리고 요동치고 파도가 일고
어떻게든 존재로 남아있으려고
그렇게도 몸부림치는 거였니
썩지 않으려고 그렇게도 흔들렸니
당신이 정신 못 차릴 때마다 나는 그렇게
살아있다는 것을 어필해야만 합니다
아니 제발 좀 조용히 해
아니 제발 그렇게라도 좀 남아있어
바다가 흔들리면 내가 흔들린다
내가 흔들리면 바다가 흔들린다
심하게 일렁이지 않기 위해
비틀거리지 않기 위해
그렇게도 꼿꼿하게 걷는다
숨을 쉰다 밭은 숨을 쉬어야 한다

동화

살아보겠다며 아등바등한다
끝내 아름다운 끝을 맺는다
하지만 하루를 딱 덮고 나면

그 모습이 너무나 불쌍하다
그 모습이 너무나도 추하다
그 모습이 그리도 눈물겹다

개운치 못한 감정의 찌꺼기만
내 마음의 어두운 구석데기에
한
가
득

안고 눈물을 흘리고 싶어 한다
제길 이제는 눈물도 안 난다
찌꺼기만 너무 쌓인 탓이다

이건 내가 아는 동화가 아니다

여정은 없습니다

창문이 없는 이 공간에는 칸막이와 문과 책상으로 사면이 이뤄진 네모난 방이 9개 있습니다. 이 네모난 방들은 변기 대신 책상이 있는 공중화장실 칸 같기도 하고 밖이 내다보이지 않는 공중전화 박스 같기도 합니다. 문에서 왼쪽 줄 네 번째 칸. 여기에 죽어가는 영혼이 하나 있습니다.

왜 말투가 이러냐고 내게 물으셨습니까. 갑자기 이상 선생님의 산촌 여정이라는 수필이 떠올라서입니다. 그 수필이 하십시오체로 이국적이고 도회적인 표현을 써가며 산촌에서의 감상을 덤덤하게 말하고 있었다는 것이 기억납니다.

그런다고 내가 그 수필을 따라 할 수는 없을 겁니다. 이 글에는 문학적인 가치는 별로 없는 아무 말이 즐비해 있을 게 뻔하기 때문입니다. 왜 갑자기 그 수필이 생각났는지는 모르겠습니다. 그래도 생각난 김에, 표현은 빌리지 못하더라도 하십시오체로 글을 끼적입니다.

내 방 이불의 아늑함을 잊은 지 며칠이 되었습니다. 이불이 폭신한지 보드라운지 끌어안기에 적당한지, 며칠간 나는 그런 걸 느낄 새가 없었습니다. 누우면 잠이 들었습니다. 이런 잠을 뭐라고 하던데, 기억이 안 나니 넘깁니다.

밀려오는 잠을 억지로 큰방 침대 바닥으로 밀어 넣고는 기상, 또다시 눈꺼풀에 내려오는 잠을 세면대에 흘려보내고는 세수와 양치, 끈질기게 달음박질쳐 쫓아오는 미련한 잠을 옷방에 가둬놓고는 준비. 그러면 나는 비로소 집에서 나올 수 있습니다.

여름 햇볕은 아침부터 뜨겁습니다. 그 햇볕이 내 뒷목을 다 태워도 머리를 묶을 수밖에 없습니다. 너무 더워서 가만히 서 있어도 땀이 주르륵 흐르기 때문입니다. 그래도 세로로 길쭉한 이 사각형 공간에 들어오면 괜찮아집니다.

저 에어컨은 한여름에도 빙하를 품은 것처럼 날 얼어붙게 합니다. 차디찬 바람은 정신이 팍 들게 해줍니다. 책을 꺼내고 책상 앞에 앉게 만듭니다. 저 안에 빙하가 아니라 귀신이 사는 건 아닌가 싶은 정도입니다.

남방을 걸치고 담요를 뒤집어쓰면 완벽히 적절한 온도가 됩니다. 춥지 않으면서도 충분히 날 깨어있을 수 있게 하는 그런 온도! 나는 그렇게나마 살아있습니다.

집에서 점심을 먹기 위해 나옵니다. 그 사이에 햇볕은 더 강렬해져 있습니다. 그것은 햇볕이 아니라 흉기일지도 모르겠습니다. 그것은 무방비 상태로 서 있는 나를 마구 할큅니다.

얼굴에 바른 선크림 하나 믿고 나는 꿋꿋하게 그 아래를 걸어 다닙니다. 끝내 얼굴이 타지 않더라도 목덜미와 팔이 타긴 할 겁니다. 더운 여름이 싫은데 이글이글 타오르는 햇빛을 보니 은근히 기분이 좋긴 합니다.

그 네모난 공간에는 인공적인 빛-쐬고 있어도 기분이 좋아지지 않는-만 가득하기에 햇빛과 마주하는 게 더 나은 것 같다는 생각을 합니다.

나는 그늘에서 웃자라고 있는 잡초일지도 모릅니다. 아주 우스운 꼴인 데다 이게 사는 건지 어쩌는 건지도 모르는 그런 상태이기 때문입니다. 그렇게 지내다 이 햇빛 아래 섰을 때 오히려 살아있음을 깨닫습니다.

죽어가던 영혼은 죽지 않은 것이었습니다. 죽어가고 있다는 건, 아직 살아있음을 의미하는 것인가 봅니다.

산촌 여정에서 가장 기억에 남았던 단어는 '하도롱' 빛 소식입니다. 또렷하게 기억납니다. 몇 년이 지났어도 기억하는 것입니다. 하도롱빛이라는 그 단어가 바로 그 빛깔을 나타내는 것 같습니다. 하도롱빛은 하도롱빛으로만 설명이 될 겁니다.

하지만 나에게는 아무런 소식도 오지 않습니다. 아니 아마, 찬란한 무지갯빛 소식이 오더라도 그걸 암흑에서 온 암울한 것으로 치부하고는 저리 치워버릴 겁니다. 죽어가는 영혼이 소식을 수신했다고 답신할 수 있진 않을 겁니다. 죽어가는데 그게 중요할 리가 없습니다.

사실은 친구로부터 전화가 오긴 왔습니다. 친구는 여느 때처럼 내게 전화를 남겼습니다. 내가 다 죽어가는 몸을 집으로 겨우겨우 이끌고 침대에 누웠을 시간대였을 겁니다. 왜 였을 겁니다, 라고 하는 것이냐면, 부재중이 찍힌 걸 나중에 발견해서입니다.

그런데 다시 전화를 걸 힘이 없었습니다. 나한텐 그것도 다짐해야만 하는 일종의 업무가 되어버렸습니다. 친구의 마음이 암흑 빛으로 타들어 갔을지도 모르겠습니다. 하지만 이런 상태로 전화하면 현실을 한탄하는 친구의 입을 막아버리고 싶은 기분일 겁니다.

합격 소식은 무슨 빛을 띠고 있을지가 궁금합니다. 그 소식을 받은 친구가 어떤 색을 봤을지, 그래서 어떤 느낌을 받았을지 궁금합니다. 하지만 그것도 물어볼 용기가 없습니다. 아니 힘이 없습니다. 그런다고 뭐가 달라지진 않습니다. 그런다고 내가 지금 여기서 뛰쳐나갈 순 없는 것처럼 말입니다.

나는 그게 하늘색이면 좋겠습니다. 밖에 나갈 때 올려다본 그 하늘은 정말 아름다웠습니다. 아름답다는 표현이 식상하게 느껴질 정도입니다. 하지만 그걸 어떻게 다른 말로 표현해야 할지도 모르겠습니다.

요즘의 나는, 아는 게 많아지는데 반대로 모르게 되는 것도 많아집니다. 머리의 공간은 하늘처럼 무한하진 않은 게 분명합니다. 모든 걸 담을 순 없었고 그래서 내가 죽어가는 영혼으로 살아가고 있는가 봅니다.

어쨌든 하늘은 답을 가지고 있지 않아도 아름다웠습니다. 그리고 빛났습니다. 속이 뻥 뚫리는 기분이었습니다. 이건 그간 우울함으로 느끼던, 속이 허한 기분과는 또 다릅니다.

나는 살아있습니다. 이렇게 공부를 하며 살아있습니다. 내가 아직 공부할 수 있다는 건 살아있다는 말일 겁니다.

그런데 왜 죽어가느냐 한다면, 피곤해서 그렇습니다. 그래도 하루하루가 정말 보람찹니다. 몸이 무너지는 것 같아도 그렇긴 합니다. 배운 내용이 기억나니 나는 즐겁습니다. 즐겁다기보다는 신나 있다는 말이 더 맞을지도 모르겠습니다. 나는 이 차이를 설명할 수 없습니다. 뉘앙스 차이로 대강 받아들일 겁니다.

나는 종일 폰을 충전기에 꽂아놓습니다. 그렇게 인터넷 강의를 들으며 공부합니다. 잠깐 집중이 흐트러졌을 때 엉뚱한 생각을 합니다. 네, 내 몸에도 충전기를 꽂고 충전을 하면서 공부하고 싶습니다. 충전되고 있는 저 폰처럼 말입니다. 그러면 힘을 쓰더라도 바로 힘이 또 들어오니 제로 상태가 될 겁니다.

그러나 나는 사람입니다. 충전기를 꽂을 순 없습니다. 먹고 자며 충전해야 할 겁니다. 그러나 먹고 자는 양보다 머리를 쓰는 양이 더 많으니 금방 방전되고 말 겁니다. 나는 사람입니다. 그러나 나는 기계입니다. 그런데 충전기를 꽂아놓을 순 없는 기계입니다. 참으로 비효율적인 모순 덩어리입니다.

하지만 어쩌겠습니까. 나는 끝을 보고 싶습니다. 기계가 되더라도 끝은 한 번만이라도 보고 싶습니다. 왜 이걸 계속 이어 가냐고 묻는 분들도 있을 겁니다. 이걸 놓기엔 다른 잘하는 게 없어서 그렇습니다. 잘하는 게 없으니 해오던 거라도 끌어가고 있나 봅니다.

시간을 너무 많이 잡아먹었습니다. 거기다 잠까지 몰려옵니다. 하지만 후회하진 않습니다. 오랜만에 이렇게도 객쩍은 걸 썼기 때문입니다. 나한텐 쓸 데 있었으니 됐습니다. 이것은 나의 일기이고 헛소리일 수도 있는 그런 글입니다.

나는 지금 한낮의 나른한 공기를 원고지 위에 깔고 가까스로 살아있느라 창백한 나 자신에게 이 글을 씁니다. 그리고 이걸 읽고 있는 분께 쓰고 있는 것이기도 할 겁니다. 글로 표현할 수 있든 없든, 어떠한 순간이든 당신이 행복하게 보냈으면 좋겠습니다. 나도 내가 행복하다고 생각하며 남은 오늘을 보내보려고 합니다 이러면 힘을 내 볼 수 있는 것 같습니다.

방 안

바깥은 한여름 아침
하지만 밤을 지나기 싫어
커튼을 걷지도 않는다
방 안의 모든 것은 제각각
다른 농도를 가졌지만
그렇게 다른 것들로
존재를 하긴 하지만
이렇게 되면 똑같이
일관된 까만색으로 칠해진
꼴이지 않을까
꼭 다르게 보여야만
다른 걸로 존재한다고
말할 수 있는 건 아니다

존재는 존재한다
명사이면서 동사인 단어
품사는 달라도
같은 의미라고 할 수 있는
그것들은 아무튼
존재로 존재한다
나도 그렇게 존재로
그것들과 이제는 같게
다르지만 같다고 착각될
농도로 여기에 존재한다
차라리 같아지고 싶다
움직이지 않아도 되고
생각하지 않아도 되고
그래서 가끔은
그것들이 되고 싶다 나는

사랑?

이미 녹은 아이스크림 그대로 다시 얼린다고
원래 모양이 돌아오니
보기 싫게 녹은 채로 얼고 굳어버리지 안 그래?

달

베토벤의 월광, Moonlight sonata op27 #2 Mov3

달은 새까만 바다 위로 떠올라 그 위용을 자랑한다. 하지만 고독해 보인다. 저 달은 지독하게 사무치는, 그래서 툭 건들면 펑 터져버릴 게 분명한 아픔의 집합을 안고 있을 거다.

달빛은 처절한 비명을 내지르며 수면에 부딪치고, 겁도 없이 산산이 부서져 흩어진다. 그 조각들은 눈이 멀 정도로 번쩍, 빛을 내뿜어 서글프다. 그건 심장을 비수로 찌르는 듯 견딜 수 없는 날카로운 서글픔이다.

나는 저 조각들을 주워 들고서는, 예리한 모서리를 부드럽게 오래도록 토닥거려주고만 싶다. 하지만 저 달은 너무나 멀리 있어 절대 잡히지 않는다. 손을 뻗으면 뻗을수록 더 아득해진다.

산산조각이 난 빛을 흩뿌려도, 놀랍도록 둥글고 밝은 달이여. 그래서 더더욱 아름답고 아픈, 나의 달이여. 까만 바다 위 저 달은 내 마음을 무겁게 짓눌러 오고, 나는 차라리 통곡하고 싶어진다.

제발

세상의 모든 소리가
내 가슴에서 부서진다
아주 사소한 소리도
큰 부딪침이 되어온다
책장을 넘기는 소리도
사각사각 글씨 쓰는 소리도
그릇끼리 부딪치는 소리도
시곗바늘이 돌아가는 소리도
그래서 아프고 아프다
듣는 게 아니라 얻어맞는 것 같다
이 세상아 부디
아무 소리도 내지 말아 줘
나를 소리에서 차단시켜 줘

기억하다

아프지 않게 숨을 쉬던 날들이 있었다.

죽음

아마 스물둘 여름이었을 거다. 나는 같은 동네 사는 대학 친구랑 집에서 놀고 있었다. 그러다 내 폰이 울렸다. 엄마였다. 평소처럼 대수롭지 않게 전화를 받았는데 내 이름을 부르는 엄마 목소리가 좀 이상했다. 그 애가... 엄마는 거기서 말을 더 잇지 못했다. 내 촉은 무서울 정도로 빨리 발동했고, 나는 거기서 더 생각하고 싶지 않았다. 그런데 그 촉은 들어맞았다.

놀랍도록 차분하지만 눈물을 누르고 있는 목소리로 엄마는 나한테 설명했고 나 역시 그런 목소리로 답했다. 입꼬리를 애써 평소처럼 만들며 친구에게 말했다. 어두운색 옷을 입어야 해. 그 말을 할 때쯤엔 좀 침착해져 있었지만 심장은 여전히 발작하고 있었다. 친구는 걱정스러운 표정으로 날 위로하다가 집을 나섰다. 혼자 남아, 멈춰버린 나를 붙잡으려고 노력했다. 겨우 위아래로 어두운색 옷을 입었다. 하지만 누가 네모난 정지 버튼을 누른 듯 잠깐 그렇게 멈춰 있었다.

어두운색 옷을 입은 우리 네 식구가 들어간 곳은 도시 변두리의 장례식장이었다. 까만 정장을 입은 그 애 남동생이 입구에서 사람들을 안내하고 있었다. 그리고 곧 그 애 부모님을 봤다. 그분들을 보자 눈물이 터질 것 같았다. 하지만 참고 영정사진 앞에 섰다. 오랜만에 보는데 우는 모습으로 마주하고 싶진 않았다. 어떻게 절을 했는지 말을 걸었는지는 기억나지 않는다.

우리 가족이 자리에 앉자 다른 친구들과 동생들 가족들도 왔다. 그들과 눈인사하면서 아무 표정도 지을 수 없었다. 우리는 예전처럼 모두 다 같이 앉아서, 하지만 예전과는 다르게 힘겹게 식사를 했다. 아무도 입을 여는 이가 없었다. 그 애 어머님이 우리 쪽으로 오셔서 어른들과 이야기를 나누기 시작했다.

그러다가 어머님이 내 손을 잡으시곤, 예쁘게 컸구나, 이런 투의 말을 건네셨다. 그 애도 예쁘게 커서 예쁜 나이였을 거다. 그런 나이에 그 애는 스스로 죽음을 택했다. 더는 눈물을 참을 수 없었다. 어머님 손을 붙들다시피 하고 울기만 했다. 오히려 어머님이 나를 달래는 상황이 돼버렸다. 위로의 말씀을 드리지 못한 게 죄송한데 다시 생각해 보니 감히 그럴 순 없었다. 어떤 위로의 말이라도 자식을 잃은 부모의 슬픔을 덮어버릴 순 없었을 거다.

우리는 다 같이 그 애 가족에게 인사를 하고 나왔다. 장례식장 옆 카페로 가서야 우리는 입을 열었다. 다들 한차례 눈물을 쏟은 눈으로 서로를 봤다.

우리는 십 년 가까이 같은 아파트 같은 동 같은 라인에 살면서 기쁜 일 슬픈 일을 함께했던 이웃이었다. 애들은 총 열두 명이었고 그 친구들과 동생들은 진짜 내 형제자매들 같았다. 열 살 때 우리 가족이 먼 타지로 이사 가게 되면서 나는 그들과 울면서 헤어졌고, 간간이 연락은 하고 지내다, 고향으로 돌아온 뒤에는 친구 두 명과 같은 여고를 다녔었다.

여고에 입학한 그해 초에 우리는 만났었다. 언니 라인인 우리는 여섯 명이었지만 그 애는 없었다. 다들 그 애랑 연락이 끊겼다고 그랬다. 우리는 언젠가는 연락이 닿길 바라며 다음을 기약했다. 언젠가 여섯 명이 같이 만날 수 있길 바랐다. 하지만 그러지 못했다.

그건 슬픈 수준이 아니다. 정말로 내가 멈춰버린다. 방금 들은 게 뭔가 싶고 내가 여기 살아있는 게 맞나, 이게 현실이 맞나 싶었다. 너무 오랜 시간이 지나고 나서야 비보로 그 애를 전해 들었다. 나는 그 애가 매달고 있던 우울의 무게를 알지 못했다. 연락이 닿지 않았던 그 몇 년간 무슨 일이 있었고 그 애가 어떤 상태로 지냈는지를 아예 몰랐으니 말이다.

어린 그 애는 나를 언니라고 불렀다. 어린 그 애는 어린 나와 같이 그림 그리는 걸 좋아했다. 어린 그 애는 이사 간 어린 나에게 편지를 보냈다. 어린 그 애는 그 편지에서 나더러 자기 집에 꼭 놀러 오라고 그랬다. 어린 그 애는.

온전하지 않은 옛날 기억 속에서 어린 그 애의 모습이 계속 보일 때마다 마음이 저렸다. 그 애는 나와 유년 시절을 함께 써갔는데. 왜 나는 그 애가 그렇게 힘들었는지도 전혀 모르고 살았을까. 왜 나는 그리고 우리는 그 애를 더 적극적으로 찾지 못했을까. 알았으면 도와줄 수 있었을까. 그랬다면 그 애가 그렇게 떠나버리지 않게 옆에서 잡아줄 수 있었을까. 한동안 나는 그런 생각을 자주 했다.

떠난 그 애를 어쭙잖게라도 보듬어주고 싶었지만 그러지 못한다는 게 아팠다. 그 우울을 알긴 하지만 완전히는 알지 못해 선뜻 위로를 건네지 못하는 자가 겪을 만한, 딱 그 정도의 아픔이었다.

나는 그 애가 떠나간 게 믿기지 않는다. 쭉 내 옆에 있었던 사람은 아니어서 더 그럴지도 모른다. 그 애를 떠올리는 건 멀리 떠난 사람을 떠올리는 느낌이라고 할 수 있겠다. 하지만 그래도 힘들었다. 여러 가지 복잡한 생각이 머릿속에서 끊임없이 엉키고 엉켰다. 그 애도 예쁘게 커서 예쁜 나이었을 거다.

나는 여기에 있고 그 애는 여기에 없다. 같은 하늘 아래에 그 애가 없다. 또래인 그 애의 모습이, 지금 이렇게 살아있는 내 모습에 오버랩되는 게 슬펐다. 다시 그때를 떠올려 봐도 힘들다. 난 이제 그 애가 편안했으면 한다. 나는 그걸 바라줄 수 있을 뿐이다.

고별

너의 시간이 가라앉는다

무너지다 못해 아주 잘게
부서져 버린 내가
거울 속에 담긴다

온통 까만 그 영상을 보며
나는 어떻게든
그 무게를 견뎌보려 한다

이젠 그림자도 없는
그리움만 흘러내려서
나를 더더욱 짓누를 뿐이다

너의 시간이 가라앉는다

밟는 걸음마다 죽음이 흘렀다

웃음을 지어본 적이 없을 것 같은 얼굴. 이제 익숙했다. 참을 수 없던 건 그 사람의 발걸음이었다. 그 사람이 밟는 걸음마다 죽음이 흘렀다. 살아있는 사람의 걸음이 저렇게 처절할 수 있나 싶을 정도였다.

그 사람은 임박해 오는 죽음을 밟고 밟고 밟아 올라간다. 꼭대기에서 주변을 둘러본다. 온통 흐리다. 난간을 붙잡고 눈은 허공을 향한 채 한참을 서 있는다.

그 사람의 눈에서는 죽음이 흘렀다. 후드득 떨어지지만 이내 흔적도 남기지 않고 사라진다. 그것은 너무나 투명해서, 그 사람이 발끝에 그 정도로 무시무시한 절벽을 매달고 살았다는 걸 아무에게도 감히 말해주지 못한다.

그 사람은 난간을 꽉 붙잡았다 놓았다를 반복한다. 그 사람 눈에서 죽음이 마구 흘러내려 고인다. 그것은 투명하다. 하지만 그것은 타들어 가고 있을 그 사람의 속처럼 검붉다. 저 손이 내 손을 붙잡고 절벽으로부터 한 발짝 뒷걸음질 칠 수 있게 해주고 싶었다.

장면

꽃은 왜 우리가 보고 있지 않을 때 필까

자책

따라오는 그림자가 참 길게도
느껴지는 밤이다
사실 집 안에 있다 걷고 있을지도 모르지
이제야 2월이 됐는데 2월 계획을 보고
이미 끝난 거냐고 뜬금없이 묻기도 했다
꼭 결정적인 순간에는 평소엔
잘만 되던 것들이 안 된다
전부 다 거짓말 같아 울고 싶었다
한참을 거울만 들여다보다가
피어싱이 잘 어울리지 않는 귀라고
갑자기 터무니없는 생각을 하며
다 빼버리고 그저 뻥 뚫린 자국들만
모조리 남기고 싶기도 했다
수트가 잘 어울리는 사람이 되고 싶다가도
옷을 편하게만 입는 내가
모순적인 것 같아 웃고 싶었다
편의점에 갔다가 새로운 맥주를
발견해 사 와서 마셨는데
맛이 더럽게 내 취향이 아니었다

결국 울지도 못했고 웃지도 못했다
취하지도 못했고 잠도 못 자겠다
이도 저도 아닌 상황 그리고 내가
미치도록 싫어졌다 내 잘못도 아닌데
내가 왜 이래야 하지
이래야만 후련하니 당신들
아니 나 자신아 이래야만 하는 거니
차라리 답이 있었으면 좋겠다
살아있는 듯이 쭉 자고 싶다
마음 가는 대로 행복하고 싶다
나는 그럴 수 있는 사람인데
그래도 되는 사람인데
왜 나는 매번 아파야만 하는지
잘 모르겠다 아니
사는 동안은 아마 계속 모르겠지

소나기

사람의 울음은 마음속의 소나기가
끝끝내 밖으로 드러나 버린 그런 것

하지만 소나기가 올 만한 사연을
그만큼 솔직하게 말할 수 있는 방법

반짝이는 것들

그 애는 반짝이는 걸 그렇게 좋아했지
본디부터 그랬을까
본디부터 그런 것들에 사로잡혔을까

오색반짝이풀 크리스마스트리장식띠
홀로그램스티커 떨어지나온화려한타일조각
반짝이잉크가나오는볼펜

반짝이는 걸 좋아하던 그 애는
훌쩍 커서도 그런 것들을 모았어
그런 것들만 보면 소유해야만 했지
그러지 않고는 못 배겼지

온갖색의큐빅피어싱
오팔펄이들어간글리터섀도 반짝이파우치
등등 더 있을 거야 찾아보면

그런 것들이 왜 좋았을까 왜 좋을까

음 보고 있으면 마음이 꽉 차오르는 것 같잖아
아니 봐봐 그 자체로 예뻐 빛나잖아
그걸 가지고 있는 나도 영롱할 수 있을 거 같잖아

이제 다 커버린 그 애는
반짝이는 그런 것들을 서랍 속에 모아놓고
가끔 한참을 들여다보곤 해

그런 것들을 꺼내서 널어놓고 흐뭇해하다가도
웃음을 싹 거둬버리고 그래
그러다 뭔가를 불안해하는 사람처럼
그것들을 정리해 꽁꽁 넣어버려

마치 그 서랍엔 아무것도 없는 것처럼

대체 뭐가 아쉬워서 그러는 걸까

아니 조금은 알 것 같네
알고 싶진 않은데 알아버릴 듯도 해
그래도 반짝이는 걸 계속 좋아하겠지 그 애는

곪아가는 귀에는 빛이 반사되면 눈이 멀듯 반짝이는 피어싱을 하고
다크써클 내린 애교살에는 세상에서 제일 반짝이는 섀도를 얹고
이리저리 손자국 난 화장품들은 화려하게 반짝이는 파우치에 넣고 그러면서

넣어둔 것들을 꺼내
마치 원래 자기인 양 그럴까나
그런 방식으로 이젠

반짝이는 걸 좋아하겠지 그 애는 계속

일련번호

머리를 감을 때, 머릿속 생각이 머리카락을 타고 흘러 물에 희석되어 없어지는 게 낫겠다는 상상을 한다. 내 속엔 내가 너무도 많아, 생각도 너무 많다. 내 온 세상을 부유하는 생각들은 요란한 날갯짓으로 나를 흐트러뜨린다. 컴퓨터 모니터를 통해 폴더를 하나씩 열어서 보듯, 그 생각들을 하나하나 열어 일련번호를 매기고, 분류해 폴더를 나누고, 삭제할 건 삭제하고 싶다. 하지만 때로는 희석되어 울먹울먹해진 생각을 다시 머릿속에 넣고 싶을 수도 있다. 그 틈바구니에서도 이것만은 꼭 간직하고 싶다 하는 생각들도 분명히 있을 거다, 어쩌면 끔찍하게도.

눈물

모든 걸 담아 눈물을 흘리고 싶다. 그런 식으로 전부 완전히 흘려보내는 거다. 그러면 더 잃을 게 없이 마음껏 울 수 있을 것만 같다.

깊이

깜박거리면서도 악착같이 빛을 내던 전구가 있습니다. 그것의 필라멘트가 확 끊어집니다. 블랙아웃. 머릿속에서 뭐가 투둑, 힘없는 소리를 내며 끊어집니다. 그리고 바스러집니다. 형체도 없어지고 존재했다는 사실 자체도 없어집니다.

그때 진짜로 울고 싶었습니다. 소리 내며 울고 싶었습니다. 그런데 눈물은 나오지 않았습니다. 헛웃음도 안 나옵니다. 나는 아무런 표정도 짓지 못했을 겁니다.

결국 찬찬히 생각을 정리해 보려고 노력했습니다. 생각들은 이미 너무 타들어 가 진해져 있었습니다. 명도 0 상태에서 진해져 봤자 별로 티도 안 나겠지만 말입니다. 명도 0의 색은 검은색입니다. 그리고 검은색에는 무슨 색을 더해도 검은색입니다.

시간이 너무 빨리 갑니다. 이렇게 하루하루가 깊어갈 동안 나는 아직도 깊어지지 못했다는 사실이 확 와닿았습니다. 그리고 나는 언제쯤 깊은 사람이 되었다고 말할 수 있을지 궁금해졌습니다. 아마 죽기 전에도 나는 변함없이 내가 얕은 사람이라고 생각할 겁니다. 생각이 거기까지 미치자 웃기기까지 합니다.

오늘은 깊은 잠을 자고 싶습니다. 비록 깊지 않아도 나는 아직 깊은 하늘 아래 살고는 있으니까, 하고 이유를 대면서 말입니다.

part 3

사소한 소망

인생에도 리셋 버튼이 있으면 좋겠다
그럼 더 멋있는 내가 될 수 있었을까

온통

아크릴 물감과 붓을 들고 칠한다. 이건 그리는 게 아니라 칠하는 것. 나 자신을 고칠 요량으로, 색으로 생각들을 조각내고 이어 붙이고 칠한다. 언젠가는 빈 캔버스를 사서 이것들을 내 마음대로 칠할 거다. 그냥 손 가는 대로 생각 가는 대로 마음 가는 대로, 나를 잡고 때론 나를 놓고.

피아노를 치다 보면 내가 어떤 곡을 연주한다. 피아노를 치는 행위 자체에 완전히 몰입해 그 곡이 끝나고 나면 몽롱하고 어지럽기까지 하는 순간들이 있었다. 난 그 느낌을 물감을 칠하면서도 고대로 받아보고 싶어졌다. 정해진 틀에 정해진 색을 칠하는 것도 벌써 다섯 번째. 집중과 완성의 즐거움은 있었으나 아직 완전한 몰입엔 도달하지 못한 탓이다.

나는 항상 뭔가에 몰입해 있고 싶다. 그렇게 어느 하나에 정신 못 차리고 빠져 있어 보고 싶다. 뭘 하든 그게 너무 힘든 요즘, 난 조금 간절해졌다.

확인

시간이 너무 빠르다. 재미있었다 없었다 한다. 심장 박동이 빨라지고 손이 떨리고 의식이 아득해져 갈 때 심호흡을 하면, 어느새 나는 여기 다시 돌아와 있다. 그렇게 내 존재가 확인된다. 그렇다면 내가 있는 여기는 진짜로 존재하는 곳이 맞을까. 이 모든 게 또 다른 한 존재의 꿈은 아닐까. 이런 생각을 요즘 부쩍 많이 하게 됐다.

아니 죽음

사람은 쉽게 안 죽어요. 이 정도로 죽지는 않아요. 사람은 생각보다도 훨씬 더 강인한 존재죠.

이 말을 하면 누군가는 다독여주고 누군가는 반박하고 누군가는 눈물을 보인다. 왜들 그러는가. 뭐 다들 나름의 이유가 있겠지. 난 내가 깨달은 사실을 타인에게 말할 뿐이다.

난 순간에 강하게 분노하고 강하게 기뻐하기로 했다. 온전히 받아들이며 느끼고 생각하기로 했다. 그럴 수 있기에 사람은 살아있는 것이다.

삶은 철학인가

1.

잠이 줄었다. 잠자는 시간을 아까워하는 탓이다. 자야 할 시간에 깨어있거나 약을 먹어도 눕지 않는 게 고작이긴 하지만. 선생님은 이런 증상을 두고 조증이라고 판명했고 난 그걸 치료 받는 와중에 이용하고 있다. 선생님께는 죄송한 말씀이지만 이건 내 나름의 참신함이며 발상의 전환이다.

2.

위험하게 살라던 니체의 가르침을 이런 식으로 실현해 본다. 범법이 아닌 범위 내에서 이십 대의 난 정말로 그렇게 사는 것처럼 보인다.

3.1.

키르케고르는 심미적 삶에 관해 이야기한다. 그건 단순히 재미있다는 의미를 넘어서는 삶이다. 좋은 걸 보고 감상하고 깨닫는다. 하지만 그럴수록 공허해지는 게 응당하다는데 그 말이 맞는 거 같다.

3.2.

내 삶이 그랬다. 이런 삶, 나쁘지 않지만 아주 좋지도 않다. 그럼 어째야겠는가. 즐기면서 내 심지를 굳히고 세워나가면 되는 거다. 덜 공허해지게끔.

4.

철학은 참으로 흥미롭다. 생에는 정답이 없기 때문일 것이다. 이 사람 말도 저 사람 말도 맞는 것 같고, 회의감이 들기도 하고, 재미있기도 하다. 무엇보다도, 다양한 관점으로 결국엔 삶이라는 큰 주제를 말한다는 점이 가장 좋다.

5.

내 인생의 뮤즈는 무엇인가.

6.

나를 놓는다. 그러면서 온전한 나를 찾는다. 그렇게도 큰 모순 같은 두 문장인데 곧 진리다.

7.

위버멘쉬. 내가 그것을 발목에 새긴 이유다. 난 내 삶을 제대로 짓밟고 그 위에 서보고 싶다.

날자

친구들아. 보고 싶다. 아니야. 혼자 있고 싶어. 사실 나 외로워. 이 세상에 혼자 남은 것만 같은 기분이 들어, 자꾸. 아니야. 그래도 혼자 있을래.

피곤한 탓인지 내 정신은 고작 오백미리짜리 맥주 한 캔에도 금방 코끼리 춤을 추고,

끝없이 파고드는 공허에 나는 내가 밟고 서 있는 이 세상을 괜히 원망해 본다. 하지만 그래도 살아야 하는 거지. 어떻게든 나는 살아봐야만 하는 거지.

내일은 또 어떻게 기분 전환을 해야 하나,

이런 질문 따위는 하지 않아도 되는 삶을 살고 싶어졌다. 어떻게든 살아있는 것만으로도 행복할 수밖에 없는 그런 삶.

가능할진 모르겠다. 하지만 누구보다도 독보적인 모습으로 이 삶을 씹는다. 그리고 힘껏 외치자. 날개야. 다시 돋아라. 날자. 날자. 날자. 한 번만 더 날자꾸나.

원한다

이런저런 생각으로 머리가 터질 것 같을 때
멍때리며 막 걸을 수 있는 골목길이 필요하다
누구에게나 그런 골목길 하나쯤 있어야 하는데

온도

긴 밤 내내 베고 누웠던 베개에
내 머리의 온도가 고스란히
묻어있었어
그 온도만큼 난 따뜻하게
살아있는 거겠지
네 품에 얼굴을 묻고 생각해
내 얼굴에 맞닿아있는 이 심장은
얼마나 뜨거운 걸까
나를 이 정도로 담을 만큼 너는
뜨겁게 살아있는 걸까
이토록 피비린내 나게 격렬하게
이 심장은
계속 뛸까
내 베개가 따뜻하지 못한 날에도
네가 나를 온몸으로
꼭 끌어안았어
새빨간 박동이
내 얼굴에 와 닿았어
내 얼굴을 후려쳤어

부끄러웠어
이렇게나 뜨거운 사람을
깊숙이 내 안에 새겨놓고도
그렇게 피를 흥건히 흘려놓고도
나는 얼어가고 있었구나
긁으면 사각사각 소리가 날
심장으로 곤두박질쳐
쨍그랑
나는 깨져버릴 생각이었구나
네 심장이 빨간
말간 눈물을 흘렸어
네 손이 내 머리의 온도를
어루만졌어
따뜻했어 뜨거웠어 맞아 아직은
아니 아마도
계속
진절머리 나게

향맛

향초를 태운다.

참 신기하지. 불이 붙으면 향초는 타는 아픔도 감내하고 자기가 안고 있는 향을 무한히 뿜어내. 일렁이는 불꽃을 정신없이 바라보다가 향을 훅 들이마신다. 그러면 황홀해지기까지 한다.

달콤해. 저걸 마시면 나도 저 향으로 채워질까. 맛도 향 그대로 달콤할까. 체리 립밤, 체리 사탕, 체리. 저것은 내 입술에 닿고 혀를 지나 목구멍을 타고 흘러도 달콤할까.

정신이 퍼뜩 든다. 미친 생각을 하고 있었지. 액체 상태의 저 촛농을 마시면 곧 목구멍부터 입까지 꽉 굳어버릴걸. 긁어내지도 못하고 그렇게 숨통이 막혀서 죽어갈 거야. 아니 이미 화상으로 죽었으려나.

여기 향을 맛보겠노라고 촛농을 마시고 죽은 사람이 있어요. 향을 코로만 맡으면 되지 왜 맛도 느끼려고 했대. 그러니까 죽은 사람이죠. 응, 미친 사람이야.

향에 미친 사람. 향에 미쳐서 언젠가는 이 세상 저 세상 할 사람. 세상에서 가장 향기롭지만 가장 바보 같은 죽음.

향초를 후 불어서 끈다. 하얀 실들은 마지막을 모르고 남은 향 끝에서 피어나다가 방 구석구석으로 숨어들며 끝을 갈음한다. 생생한 꿈에서 마지못해 깨어나는 기분. 저 하얀 머리채를 붙잡고 같이 가자.

하지만 이성은 방문을 연다. 향에 파묻혀 죽으면 안 되잖아. 아무리 달콤한 게 좋아도 그렇지. 이제 향도 저 밖의 어둠 속에 숨어들 거다.

미미하게 남은 향을 훅 들이마신다. 이제 진짜 꿈을 꾸러 갈 시간이야. 거기서 널 맛볼게.

죽지 않고도, 무한히.

새벽 소리

어두운 방 안에서 고요하게 움직이는 새벽 소리가 좋다. 나만 여기에 오롯이 있는 느낌. 모든 게 무(無)인 것 같지만. 어찌 됐든 존재하는 나를 새벽이 안아주는 느낌. 한없이 평온하지만 한없이 공허하다. 잠을 잘 수가 없다. 그 모순적이고 이질적인 느낌을 완전히 받아들이고 싶어서.

가로등

고개를 숙인 그대의 눈꺼풀이
몇 번인가 깜빡거리고
그 어느 것보다도 짙은 자취들이
빛이 바래버린 길 위에
똑, 똑, 똑, 떨어지고 번져갑니다

그래요, 정말 아주 가끔은 그대도
어둠을 떨구곤 하는군요

그대의 그림자 아래에서 비로소
여러 빛깔로 존재하던 나는
기꺼이 그 짙은 자취들을 끌어안고
참 오래도 거기 있었습니다
밝아지다 못해 산산이 흩어지도록

날

잠에서 깨면
내 숨의 깊이와
가슴 떨림의 정도로
그날의 얼굴을
그날의 무게를
짐작한다
숨이 연하고 얕을 때는
가슴에 여진이 일 때는
하늘과 가까운
하지만 나약한
나를 원망한다
그리고
일부러 과장되게
그날을 보낸다
오늘도 비가 왔구나
내 호흡이 버거웠구나
그래서 오늘도 신중하게
약하지만 끈질기게
호흡을 고른다 쉰다 쉰다 쉰다

늘

이유 모를 서글픔이 갑자기 날 찾아오면
나는 날 걸어 잠그고 어둠을 뒤집어썼다
갈수록 새까매지는 건 내 마음뿐이어서
남들 다 자는 정말로 어두운 밤이 되어도
몇 달 며칠을 뒤척이고 헤매며 날 앓았다
고작 이유 모를 그런 것들 때문에 말이다

흐리멍덩한 쪼가리들

나는 잘 살고 있다. 알차게 날 쏟아붓는 하루하루가 그래도 만족스러운 편이다. 하지만 왠지 씁쓸한 만족이다. 생각할 힘을 잃어버렸다. 어디서든 작은 소재 하나 집어낼, 시답잖은 말장난을 칠 머리를 잃어버렸다. 반짝이는 사소함이 사라졌고, 거기서 오는 미소며 성취감도 사라졌다.

계획적인 매일을 살고 아는 게 많아진 나는, 역설적으로 흐리멍덩해져 간다. 흐리멍덩. 하지만 그게 슬프고 우울하진 않다. 예전의 나는 곧 죽을 것처럼 스스로를 대하고 한없이 나락으로 떨어지지 않았는가. 나한테 지금은, 그런 사소함을 어느 정도 포기하는 시기다.

깨달아버렸다. 버릴 줄 알게 됐다. 적당한 때에 적당한 것을 취하면서 버리고, 그걸 받아들일 줄 아는 게 어른 아닐까. 그렇다면 어른이 되어가고 있기는 하다.

그런데 문제는, 내게 중간이 없다는 거다. 너무 후련하게 놔버리고 있다. 그래서 슬픔이며 우울함이며 전혀 못 느꼈던 거다. 사실은 그게 나을지도 모른다. 적어도 무기력하게나마 날 살아가게 하니까.

하지만 그건 엄청난 후폭풍을 몰고 올 것이다. 그간 이렇게 나에 대해 무감각했어, 내가 그때 어떤 근본적인 감정을 느꼈고 그래서 어떤 상태였는지 전혀 몰랐을 정도로!

대학 졸업하고 지난 4년을 돌아보고는, 누구보다 열심히 살았지만 진짜 '나'는 없었다는 걸 발견했을 때 그랬다. 공부를 때려치우고 싶었고 우울했다. 정말 끝도 없는 무너짐을 경험했고 스스로 회생 불가라고 생각할 정도였다.

무기력하지만 꾸준히 살아가는 것, 격렬하지만 꾸준히 죽어가는 것. 지금이 전자인 건 알겠다. 안다. 결말이 어찌 되든 나는 허무를 느낄 수밖에 없다. 허무주의는 이미 내 밑바닥에 깔렸다. 하지만 뭐라도 남는, 의미 있을지도 모르는 허무가 좀 더 낫겠다 싶다. 지금은 쓸모 있는 게 되고 싶으니까.

이건 난장판을 넘어서 구겨버려도 모자랄 쪼가리일 거다. 뭔 쪼가리들을 이렇게 찢어발겨 놨는지 모르겠다만 마음은 가벼워졌다. 거봐. 내가 나를 잘 모르고 있었잖아! 그걸 너무 잘 알면 더는 이렇게 살 필요가 없겠지.

풍경

나는 외줄타기를 하고
지구는 돌고 계속 돌고
언젠가 끊어질 외줄은
강해지고 또 흔들리고
존재가 무너져 내릴 때
외줄은 결국 끊어지고
무(無)가 되고 그래도
계속 지구는 돌아가고
그 안에 내가 있습니다
그 바깥에 내가 있습니다
견딜 수 없게 무너질 때
나는 이제 없겠습니다
가장 아름다운 어쩌면
가장 위태로울 수 있는
외줄들의 잔해 속에서
서서히 없어지겠습니다

그건 아마

가끔 네게서도 눈물 냄새가 난다. 모든 게 괜찮아질 거라고 내가 네 옆에 있다고 말하며 너를 안는다.

근데 우리는 잘 안다. 모든 게 괜찮아질 순 없고 나도 항상 네 옆에 있어 줄 수는 없다는 것을. 그래도 넌 내게 안겨 나를 받아준다.

그러면 그 눈물 냄새가 내게 옮아온다. 우린 축축해지지만 그게 나쁘지 않게 다가오기도 한다. 그럴 땐 널 더 꼭 안고 숨을 고른다. 고르고 골라 신중하게 내뱉어야 한다.

삶의 무게를 어떻게든 버텨낼 때처럼, 그렇게.

존재

존재라는 게 생각보다도 더 가벼운 거더라. 내가 어떻게 생각하느냐에 따라 그 존재가 커질 수도, 작아질 수도, 아플 수도, 아무렇지 않을 수도 있는 걸 보면.

결국 그에 따라오는 내 생각과 그걸 생각하는 내가 제일 중요한 것이더라고. 이걸 깨달으니까 더욱더 나를 위해 살 수 있을 것만 같다.

깨달음들

언젠가는 코웃음치며 보게 될,
만 스물여섯 때의 우스운 생각들.

1.
이상과 비상은 한 끗 차이.

2.
힘들어하는 것조차 힘든 순간이 있다. 그땐 내 옆에 누가 있다는 사실 자체가 힘이 많이 된다.

3.
외로움도 습관이다. 외롭지 않음도 습관이다.

4.
좀 전까지 살고 싶지 않다가도 갑자기 살아야겠다고 생각하는 게 사람이다. 이렇게 우리는 살아있음을 방증할 수 있다.

5.

인정받고 싶다는 욕구가 미친듯이 들끓는데 인정받지 못하는 것 같을 때 스스로 들여다봐야 한다. 그러지 못해서 불안한 거다.

6.

절대적인 건 없다. 그런 것도 사람에 의해 정의되는데 사람도 모두 다르기 때문이다. 그리고 절대적인 게 있다 해도 꼭 찾으려 애쓰면서 힘들어야만 하는 걸까.

7.

나 먹고살기도 버거운데 다른 것들이 눈에 들어올 리가 없다. 일단 이 생의 관건은 나라는 존재의 문제부터 해결되어야 한다는 거다. 그래서 우린 필연적으로 흔들릴 수밖에 없다.

8.

그들이 그들의 잣대로 날 보고 판단하고 수군댄다고 해도 움츠러들 필요는 없다. 내 귀에만 안 들어오면 굳이 반박할 필요도 없다.

9.

가끔은 방어가 최고의 공격이 되기도 한다.

10.

죽고 싶은 게 아니다. 그냥 사라지고 싶다. 그냥 숨고 싶다. 그냥 잠깐 나를 지워보고 싶다.

11.

설마 죽기야/죽이기야 하겠어. 이 마인드가 사는 데 생각보다 도움이 된다.

12.

삶. 이겨볼 만한 걸지도 모르겠다.

귀가

불 꺼진 집으로 돌아옵니다
그 살아있는 것의 향기가 코에 스밀 때
엄청난 경외감을 느낍니다 동시에
엄청난 죄책감과 부담감을 느낍니다
불 꺼진 집 현관 바닥
털썩 무릎부터 주저앉고 싶어집니다
저것처럼 천진하게
저것처럼 발칙하게
불 꺼진 집에서도 존재감을 드러내며
살아있고 싶습니다 살아가고 싶습니다
그 살아있는 것이 그것의 노란색으로
빈틈없이 눈부시게
나를 밝혀 줬으면 좋겠습니다
감싸 안아 줬으면 좋겠습니다

다 괜찮았다 괜찮다 괜찮아질 거다
시들어갈 때도 바스러질 때도
은은하게 하지만 찬란하게
불 꺼진 집은 불이 아주 꺼지고
살아있는 것 하나가 눈을 감습니다
내일도 괜찮을 거다
남아있을 수 있겠다
다른 살아있는 것이 그것의 옆을
묵묵히 지켜주고 있겠지요 아마도

사랑

친구야 네 말이 맞다 우린 사랑 없이 못 산다

사람이든 물건이든 취미든 뭐든 간에 네 말대로 우린 사랑하는 것 없이는 살 수가 없는 것 같다

내가 지금 살아있는 이유도 이 세상에 내가 사랑하는 것들이 아직 많기 때문일 거다

향은 그것으로 존재한다

나는 언제부터 향에 집착하게 됐을까.

일렁이는 향초의 불꽃을 보면, 스멀스멀 피어오르는 향을 맡고 있으면 기분이 좋다. 단순히 기분이 좋은 게 아니라 그 이상으로 좋다.

향은 제각각의 매력이 있다. 향은 거짓말을 하지 않는다. 향은 있는 그대로의 자신을 드러내다가 서서히 소멸한다. 향은 생각보다 오래도록 곁에 남는다. 향은 해묵은 뭔가도 끄집어내 추억으로 남긴다. 향은 오묘하고 강력한 뭔가를 가지고 있다.

그래서일까. 나는 이런저런 말로 장황하게 설명되어야 하는 뭔가가 되고 싶지 않다. 설명하지 않아도, 아누가, 이런 게 되는 편이 낫나. 그 자체로 존재하는, 그러면서도 많은 걸 고스란히 안고 있는 향들처럼.

나는 그 자체로 남고 싶다.

향기롭든 향기롭지 않든, 강렬하든 미미하든, 어쨌거나 존재는 하는 그런 것으로 남고 싶다.

떠나간

보일러를 끈 방에 찬밥처럼 담겨 술을 마신다. 선생님, 나 비로소 찬밥처럼 방에 담겨 있는 기분을 알게 되었소. 그렇게 비참할 수가 없소. 고오급 위스키를 마셔도 쓴맛이 극대화된 미각 때문에 괴롭지, 밖에 날 드러내고 과시하고 싶은데 그럴 기력은 없지, 내 생각 저 밑바닥에 가라앉은 것들을 끌어올려 내보여도 그걸 받아주고 이해해 줄 사람은 없지. 아무리 세상 혼자라지만 너무 외롭다. 사는 거 뭐 항상 그랬지만 요즘같이 추웠던 적은 없었다. 입춘은 지났는데 아직도 난 꽝꽝 얼었다. 나를 깨부수고 들여다보고 이해할 수 있는 사람. 사랑하는 사람들이 있는 거랑은 별개의 문제인 거 같다. 날 사랑하지 않아도 얘기만큼은 기가 막히게 통하는 사람 한 명쯤 있으면 좋겠다. 네 생각 곧 내 생각인 그런 사람. 그러면 난 그 사람을 필연적으로 사랑하게 될까. 근데 진짜 없다. 그럴 거다. 넌 내가 아니니까. 그런 사람 평생 없겠지. 알면서도 나는 기다리게 된다. 그나저나 술이 이렇게 써서 어쩌나. 다음 주에 술 모임을 하는데 이러면 뽕을 뽑을 수가 없다. 대개 맛있는 대게를 먹는다는 소문이 있던데. 언제 먹어도 맛있는 대게. 사랑하진 않아도 같이 있고 같은 취미를 공유한다는 것만으로도 좋은 사람들, 그리고 그런 것들을 공유하진 못해도 내가 사랑하는 사람들. 그래, 다 좋다. 근데 생각을 공유할 수 있는 사람이 정말로 필요하다. 가끔 지나간 인연들을 붙잡으며 생각도 한다. 그때 내가 그렇게 행동하지 않았더라면, 아님 그렇게 행동했더라면 더 친밀해질 수 있었을까. 몇 명 있다. 스물다섯 스물여섯의 난 너무 서툴렀어요. 죄송해요. 그렇다고 지금의 내가 능숙해진 건 아니지만요. 근데 인간관계가 제일 덧없는 것 같다. 그저 에스엔에스 친구, 하트를 누르며 나 아직 당신을 기억하고 있어요, 관심이 있어요, 하고 수동적으로 의사를 전달하는 그런 부류의 대상들. 나에게도 혹시나 그런 사람들이 있을까 봐 근황을 올린다. 나 자신을 돌아보지 못할 때 남의 관심을 갈구할 수밖에 없는 게 사람이다. 난 모든 가능성을 열어두고 생각하면서도 어찌 보면 그 가능성을 받아들일 수 있는 사람은 전혀 아니다. 그러기엔 너무 약하고 흔들린다. 그런 그릇이 못 된다. 니체는 위험하게 살라고 했지만 그게 막 살라는 의미는 아니다. 근데 난 막 살아온 기분이다. 난 이제 의지라고는 없어진 껍데기다. 선생님, 저 의지라고는 사라진 사람 같아요. 이걸 해도 된다 안 된다, 하는 판단이 안 되는 지경까지 갔어요. 판단이 된다고 해도 반대로 행동하기도 해요.

아 그 와중에 이어폰 배터리 없다고 삑삑거린다. 이제 노래를 끄고 술을 그만 마실 시간이 됐다. 취하지 않았다. 차라리 취하고 싶다. 뭐라도 쓰니 좀 후련한 거 같기도 하고. 줄 바꿈은 사치. 알코올 니코틴 카페인 삼박자 완벽했던 하루.

단순히

자잘한 행복 조각조각이 매일을 붙여주고 있다. 애써 진득하게 달라붙은 그 조각들이 없었으면 나는 진작 깨져버렸을지도 모른다.

위태롭지만 질기게 엉겨 붙어있을 나의 나날들. 그 끝에 대단한 뭔가는 없을 걸 이제는 안다. 그러니 그런 날들을 살아내는 것도 별일 아닐 거다. 하루씩 끊어 잘 씹어내고 아무도 모르게 삼켜 보내면 된다. 수 번 반복만 하면 된다.

그러니 괜찮을 거다. 그래, 나는 괜찮을 거다.

구석

앞서 걷는 네가 보인다
밑단 접은 청바지 아래로
스니커즈가 잘 어울리는 발목
그 예쁜 발목으로
길다면 길고 짧다면 짧을
시간 머리 위에 깔아 두고
험한 세상을 잘 밟아왔겠지
그렇게 부러지지 않고 쭉
버텨주면 좋으련만
혹여나 그러지 못하여도
괜찮을 거다
도처에 널린 단단한 것들에
아주 잠깐 기대 봐도 좋고
부어있든 생채기가 났든
내게는 여전히 예쁠 거다

네가 내게 와 닿았을 때처럼
사랑스럽게는 아니어도
내가 감히 네 옆에서
같이 네 삶을 밟아보겠다
대신 조금 더 아파보겠다
그러면 된다
그러니 너무 감추지는 말라
그러니 너무 아프지는 말라
발목이 예쁜 사람이여

불행에 대한 비교

나는 나의 불행조차 남의 것과 비교해. 나는 이 정도로 불행하다고 느껴선 안 돼, 나는 불행할 자격도 없어, 나보다 더 불행한 사람들도 있을 거야, 하다 보니 나는 내 불행 앞에서 마음 놓고 불행할 수가 없었다.

목 놓아 울지도 못하고, 큰소리로 토로하지도 못하고, 정면으로 바라보고 인정하지도 못하고. 그래서 내 속엔 찌꺼기만 수북이 쌓이고 그게 숨통을 옥죄는 탓에 아픈 숨을 쉬고 있는 거겠지.

나는 나의 불행을 마주하는 데에도 수만 번의 다짐이 필요하다. 내가 너무 나약해서 그런다. 나 자신을 들여다보는 것. 엄청난 용기가 필요한 행위다. 그래, 비교하지 말아야 한다. 불행은 그 크기와 형태가 어떻든 불행 그 자체인 거잖아. 그렇지 않은가.

이렇게 생각하니 찌꺼기가 좀 내려간 듯하다. 내가 뭣 때문에 우는지 몰라도 일단 눈물을 흘리고 본다. 또 오락가락하겠지. 안다. 그런데 그럴 때마다 내 불행을 저울질하고 눌러 담으려고만 하지는 말아야겠다. 좀 비워줘야 새로운 찌꺼기도 쌓일 수 있다.

그걸 또 흘려보내고 비우고, 반복하면 그 찌꺼기가 먼지 한 톨만도 못 해지는 날이 올 거다. 그러면 나도 진짜로 우러나오는 그런 웃음 지을 수 있겠지. 그렇게 예전의 나로 돌아올 수 있을지도 모른다.

고맙다. 내가 솔직해지게 도와주는 모든 것들.

대부분

눈 풀린 눈사람처럼 산다
갑자기 해가 쨍쨍 쪄서
녹아버리면 언제 사라질지
모르는 그런 삶 있잖아
그렇게 살아지고 싶다가도
사라지고 싶지는 않았던
어느 무수한 밤들 사이를
가까스로 헤치고 헤치면서
멍하니 비어있는 하늘을
응시하던 초점 없는 두 눈을
거두어들이고 아슬하게
낮은 난간에 걸쳐 있던 손을
거두어들이고 돌아설 때
삶은 새롭게 다시 열리곤 해

녹아버려도 괜찮다
풀려버려도 괜찮고
하지만 아주 사라지지는 말아라
담배 한 대 좀 태우고
폐에 새로운 숨 불어넣고
돌아서서 울고 웃으면 된다
눈이 풀린 채 심장이 녹은 채
하지만 어떻게든 살아있는
삶 사람 이런 게 나는
가끔은 재미있더라 동생아

혼잣말

사는 거 녹록지 않지만 봄날은 와요. 그 봄날이 영원할 순 없지만 계절은 바뀌고 난 여전히 살아있어요.

네, 살아있더라고요. 문득 보고 싶은 얼굴들이 있어요. 하지만 모두 안고 가지 못하는 이게, 인생이겠죠?

아 밤공기가 참 좋고 담배 연기가 향기롭네요. 모처럼 안정됨을 느끼는 밤이에요. 아 좋아요. 인센스 스틱 하나 태우면서 그 연기의 꼬리를 눈길로 잠시나마 붙잡아 두는 것도 흥미로워요.

모든 죽어가는 것을 사랑해야지. 항상 그랬듯.

인생

모방에 모방에 모방에 모방
모조품 그 자체일지도
모조품 그 자체일지라도

그럼에도

성장하는 사람의 매일은 아프다. 성장해 나가는 과정 자체가 너무도 힘들고 아파서도 있고, 그 과정에서 뒤얽혀 자라나는 이런저런 생각들 때문도 있고. 그래서 한숨을 쉬고 눈물을 흘리기도 한다. 그렇게 매일 죽어간다. 그래도 하루하루를 버텨간다. 그런 하루를 딱 꺼버리고 잠자리에 누웠을 때는 오만가지 생각들을 곱씹어 중얼거린다. 그 중얼거림은 다음 하루를 피워낸다. 피어난 매일을 한 아름 주워 안고 가다 보면 언젠가는, 어느 정도의 하루는 거뜬히 살아낼 수 있는 내가 있을 거다. 이렇게나 얄팍하지만 무거운 불안과 아픔을 가지고도. 그럼에도 나는 여전히 오늘을 안고 있다.

outro

이 땅에 존재할 수많은 아무개 씨들을 응원한다.

어디에서 어떤 형태로 인생을 일구고 있든, 그 모든 주체를 응원하고 싶다.

결국 생은 아름다울 게 분명하다.

2024년 3월

유재신